Mae'r llyfr hwn
yn eiddo i:

_____

_____

Yn arbennig i ddwy Anita, gyda chariad
~ M C B

I fy nith, Stephanie Bahrani
~ T M

Cyhoeddwyd gyntaf ym Mhrydain gan Little Tiger Press,
1 The Coda Centre, 189 Munster Road, Llundain, SW6 6AW
dan y teitl *One Snowy Rescue*.

Cyhoeddwyd gyntaf yng Nghymru gan
Wasg Gomer, Llandysul, Ceredigion, SA44 4JL
www.gomer.co.uk

ISBN 978 1 84851 998 5

ⓗ y testun: M Christina Butler 2015
ⓗ y lluniau: Tina Macnaughton 2015
ⓗ y testun Cymraeg: Sioned Lleinau 2015

Mae M Christina Butler a Tina Macnaughton wedi datgan eu hawl
dan Ddeddf Hawlfraint, Dyluniadau a Phatentau 1988 i gael eu cydnabod
fel awdur ac arlunydd y llyfr hwn.

Argraffwyd yn China • LTP/1800/1156/0615

Achub y Dydd

M Christina Butler • Tina Macnaughton

Addasiad Sioned Lleinau

Gomer

'Wel, wel!' meddai Draenog Bach
wrth drio agor drws y tŷ. 'Mae hi wedi
bod yn bwrw eira'n drwm drwy'r nos
ac mae yna flanced wen, drwchus
dros bob man! Bydd hi'n anodd mynd
allan heddiw!'

Stryffaglodd Draenog
Bach drwy'r
ffenest a disgyn . . .

SBLAT!

i luwch
eira mawr.

'Wel! Dyma'r eira mwyaf
trwchus rwy wedi ei
weld erioed,' meddai.

Aeth Draenog Bach ati i glirio llwybr cyn eistedd
i gael hoe fach. 'O diar!' meddyliodd yn sydyn.
'Gobeithio nad yw Llygoden yn sownd hefyd.
Well i fi fynd i wneud yn siŵr ei bod hi'n iawn.'

Bant â Draenog Bach yn ofalus
i dŷ Llygoden.
    Ond roedd yr eira'n
ddwfn iawn i ddraenog bach
ac yn sydyn fe syrthiodd i
ganol lluwch
eira anferth.

'Ooooooo!'

Gwnaeth Draenog Bach
ei orau glas i drio dringo
allan o'r twll. Ond bob tro,
byddai'n cwympo'n glewt ar
ei ben-ôl . . .

Bwmp!

'O diar!' meddyliodd.
'Beth wna i?'
    Yn sydyn, cafodd
syniad.

Rhoddodd Draenog Bach ei het
ar flaen ei ffon a'i hysgwyd uwch
ei ben fel baner!

'Beth yn y byd yw hwnna?' meddai Cwningen, oedd yn digwydd neidio heibio. 'Mae'n edrych yn gyfarwydd!'

'Draenog Bach!' gwaeddodd. 'Beth wyt ti'n ei wneud i lawr yn y twll 'na?'

'Rwy'n sownd, Cwningen! Alli di helpu?' gofynnodd llais bach.

A chydag 'Un, dau, tri, bant â ni!'
fawr, dyma Cwningen yn tynnu
Draenog Bach allan o'r twll.

'Mynd i weld a oedd Llygoden a'r
llygod bach yn iawn oeddwn i,' meddai
Draenog Bach.

'Well i fi ddod gyda ti,' meddai Cwningen.

Felly bant â nhw gan ffit-ffatian eu ffordd
drwy'r eira trwchus wrth i fwy o blu eira
chwyrlïo o'u cwmpas.

Ymlaen â nhw nes dod at olion traed yn
yr eira.

'Hmmm,' meddai Cwningen, gan gosi ei
wisgars. 'Olion traed cwningen yw'r rhain.'

'Ac olion traed draenog yw'r rhain,'
meddai Draenog Bach. 'O, Cwningen!
Wyt ti'n meddwl mai ni sydd wedi gwneud
yr olion traed yma?'

'Os felly,' atebodd Cwningen, 'ry'n ni'n
bendant ar goll!'

Crynodd y ddau ffrind wrth
i'r gwynt chwibanu drwy'r
coed, a'r eira'n mynd
yn fwy trwchus o hyd.

Yn sydyn, dyma nhw'n synnu wrth glywed
sŵn llais.

'Beth ydych chi'n ei wneud allan yn y fath
dywydd?' Cadno oedd yno.

'Trio cyrraedd tŷ Llygoden,' eglurodd
Cwningen.

'Fe alla i ddangos y ffordd i chi,'
meddai Cadno. A bant â nhw
i gyfeiriad yr afon.

Doedden nhw ddim wedi mynd yn bell iawn pan ddechreuodd yr eira chwalu o dan eu traed.

'Help!' gwichiodd pawb, gan ddal yn dynn rhag ofn iddyn nhw ddisgyn i'r dŵr rhewllyd oedd yn rhuthro heibio islaw.

'Ooo! Fy het i!' sgrechiodd Draenog Bach.

Yna'n sydyn, daeth Mochyn Daear i'r golwg.
Yn ofalus, tynnodd ei ffrindiau yn ôl i'r llwybr.
'Ro'n i'n gwybod bod rhywbeth o'i le,'
eglurodd. 'Fe weles i dy het di'n cael
ei golchi i lawr yr afon.

'O diolch!' ebychodd Draenog Bach. 'Ro'n i'n meddwl mod i wedi ei cholli hi am byth!'

Aeth Cadno o'u blaen nhw
unwaith eto gan arwain y ffordd
i dŷ Llygoden. Dechreuodd pawb
weithio'n galed i glirio'r eira.

'Diolch byth eich bod chi wedi galw!' gwichiodd Llygoden wrth lwyddo i agor drws ei chartref o'r diwedd. 'Diolch yn fawr i chi i gyd!'

'Wel,' wfftiodd Mochyn Daear. 'Rwy wedi cael llond bol ar yr eira 'ma! Beth am fynd adref i gael swper?'

'Edrychwch ar y llygod bach 'ma, yn glyd a
chynnes yn dy het di!' gwenodd Mochyn Daear.
'Mae'n werth y byd!'

'Mae ffrindiau'n werth y byd hefyd,' gwenodd Draenog
Bach yn fodlon.

A dyma'r ffrindiau bach yn troi tuag adref dan olau'r
lleuad, gan chwerthin a siarad bob cam o'r ffordd.